はじめに

あなたの身に「もしも」のことが起こったら、家族はどうなるでしょうか？
あなたの個人情報や家庭内のことがわからず、戸惑い、困惑するでしょう。
でも、この『もしもに備える安心ノート』にあなたの大事なことを記入しておけば安心です。自分や家族の基本情報、緊急時の連絡先、預貯金や不動産から終末期の希望、家族へのメッセージまで、気負わずに書き込める構成になっています。
このノートには、
- 病気や入院、事故、災害など…緊急時の備忘録として役立つ
- 預貯金や資産、保険、年金など…自分のライフプランづくりに役立つ
- 介護や終末医療、葬式、相続など…エンディングノートとして役立つ

という3つのメリットがあります。
あなたの目的に合わせて、気になる項目から気軽に書き始めてください。情報のコピーやお気に入りの写真などを直接貼りつけたり、巻末の収納ポケットに入れておいてもOKです。
書き込んだノートには、あなたの大事な個人情報が詰め込まれていますので大切に保管してください。ただし、ノートの存在を誰も知らなければ緊急時に役立ちませんので、家族や信頼できる人には保管場所を知らせておきましょう。
このノートがあなたらしい人生を送るために役立つことを、心より願っています。

エンディング研究会

もしものときに備えて
今の私に関する情報を記録します。

記入開始日　　　年　　　月　　　日

名前
_____

（注）このノートには大切な個人情報が記録されています。取扱いには注意を払い、大切に保管しましょう。

このノートの使い方

書き込むうちに自分の現状が整理され、不安が安心へと変わっていくノートです！

　現在の自分についての情報を整理することは、病気や入院、事故、災害などの"もしもの備え"になるのはもちろん、老後や終活など、将来の人生設計にも役立ちます。

　このノートにはあなたや家族のこれからの人生を豊かにするためのヒントが詰まっています。書き込むことで、将来への不安が"安心"へと変わっていくのを実感できるでしょう。

こんなときに役立つ！ 3つのメリット

メリット1 病気や入院、事故、災害など…
緊急時の備忘録として役立つ

メリット2 預貯金や資産、保険、年金など…
自分のライフプランづくりに役立つ

メリット3 介護や終末医療、お葬式、相続など…
エンディングノートとして役立つ

記入のコツ

- **書きやすい項目から書き始めましょう**
  前から順番に書き始める必要はありません。調べなくてはならない箇所は後に回して書きやすい項目からスタートしましょう！

- **書き直しを恐れずにどんどん書き込みましょう**
  状況は変化していきます。現在のあなたの情報を書いて、状況が変わればその度に、修正や訂正をしましょう。

- **人に知られると困る個人情報の記入は慎重に！**
  パスワードや暗証番号などの重要な個人情報は書かなくてもOKですが、記入した場合はノートの保管を厳重に！

- **コピーできる情報は記入せず貼るだけでもOK！**
  戸籍謄本、住民票、ねんきん定期便、口座番号などコピーできる情報は、該当ページに貼るだけでもいいでしょう。

- **定期的にノートの内容を見直しましょう**
  資産状況などは年々変わります。誕生日などの記念日に定期的に見直すようにして情報を更新していきましょう。

メリット1 病気や入院、事故、災害など… 緊急時の備忘録として役立つ

看病する家族や大切な人が困らないように準備をしておきましょう

人生には、思いもよらないことが起こります。突然の病気や事故、災害などで緊急入院したり、思いがけず長期入院が必要になったりすることなどがあります。あっては欲しくないことですが、その時にあわてないように、準備だけはしておきたいものです。

今までの病歴や持病、服用している薬、定期健診の結果などの記録があれば、的確な治療がスムーズに受けられます。また、現在の自分の体調を把握することで健康管理にも役立つでしょう。

このノートに治療や看病に対する希望を書いておけば、家族や大切な人が判断に迷わないですみます。さらに、医療保険や生命保険の加入状況や連絡先がわかれば、あなたの代わりに連絡を取ってもらうこともできます。

その他、ペットの世話、家族のことなど、あなたが留守になったときに困りそうなことは、このノートに書き込んでおきましょう。

記入しておきたい項目はココ！

記入したところ、あてはまる項目、希望する項目の□に✔を入れましょう。

- ☐ 私の基本データ　→　P.8
- ☐ 私の健康状態　→　P.10
- ☐ ペットについて　→　P.14
- ☐ 預貯金について　→　P.16
- ☐ 保険について　→　P.22
- ☐ 家族の基本情報　→　P.32
- ☐ 看護・介護について　→　P.42

健康保険証や運転免許証、パスポートなどの番号を記録しておくと紛失したとき、手続きを変更するときなど、日常生活の中で困ったときにも役立ちます。

メリット 2

預貯金や資産、保険、年金など…
自分のライフプランづくりに役立つ

**自分の持っている財産を把握することで
必要なものがわかり、安心して暮らせます**

　このノートは、もしものときだけに役立つものではありません。心豊かなライフプランを立てるための強力なサポーターでもあるのです。

　長寿社会になり、老後のマネープランが重要となってきました。年金だけで生活できるのか？ 介護が必要となったときはどうなるのか？ などの漠然とした不安から、やみくもに貯金したり、保険に加入したりしていませんか？ また、お得になるからとカードをたくさん持っていませんか？

　ちょっと立ち止まって、預貯金だけでなく生命保険、有価証券などの金融資産、不動産など、自分の持っている財産をこのノートに書き込んでみましょう。記録して整理することで現状がわかり、自分にとって何が必要かも見えてくると、ライフプランも立てやすくなります。家族と今後の住まい方や夢、何歳まで仕事をするのか、これから何をしたいのかなどを話し合うのも、楽しい時間となるでしょう。

記入しておきたい項目はココ！

記入したところ、あてはまる項目、希望する項目の□に✔を入れましょう。

- □ 預貯金について ➡ P.16
- □ 有価証券などについて ➡ P.18
- □ 不動産について ➡ P.20
- □ その他の資産について ➡ P.21
- □ 保険について ➡ P.22
- □ 年金について ➡ P.24
- □ 借入金・ローンについて ➡ P.26
- □ 貸付金について ➡ P.27

財産情報を整理すると相続のことも具体的になります。家族に話していない借入金などの負債も相続の対象になりますのでクリアにしましょう。

メリット 3

介護や終末医療、葬式、相続など…
エンディングノートとして役立つ

のこされた家族が困らないように自分の希望を明確に書きましょう

　日本全国に「ぽっくり寺」があるように、ぽっくり死ぬことを願う人が多いのですが、「自分だけはまだ大丈夫！」と、もしもの時の備えを先送りにしがちです。元気なうちにこそ、葬式やお墓、遺産相続などエンディングのことを考えておきましょう。
「家族のために」とかけた生命保険、「争続にならないように」と書いた遺言書、「自分らしい葬式にしてほしい」と予約した葬儀社、それらは誰かに伝えておかなければ役に立ちません。このノートにはそれらのことをまとめて書くことができます。項目に沿って書き込むうちにものも考えも整理でき、遺言書の下書きにもなるので、このノートをきっかけに終活について話し合うのもよいでしょう。
　また、「ありがとう」や「みんな仲良く」の言葉は、円満な相続への最大のメッセージとなります。そして、一番大事なことは、このノートを書いたことを信頼できる人に伝えておくことです。

記入しておきたい項目はココ！

※記入したところ、あてはまる項目、希望する項目の□に✔を入れましょう。

- □ 私の基本データ ➡ P.8
- □ 家族・親族について ➡ P.32、P.34
- □ 友人・知人について ➡ P.36
- □ 所属団体（グループ）について ➡ P.40
- □ 看護・介護について ➡ P.42
- □ 告知・終末医療について ➡ P.44
- □ 葬式について ➡ P.46
- □ お墓について ➡ P.48
- □ 遺言書・相続について ➡ P.50
- □ 法定相続人がわかる家系図 ➡ P.52
- □ その他、死後の対応の希望 ➡ P.54
- □ 大切な人へのメッセージ ➡ P.60

親のみとりや遺産相続だけでなく、"おひとりさま"が増えている現代では、親戚のエンディングをになう機会も多くなってきました。法事などの親族が集まる場でこのノートを話題にして、お互いの希望や考えを話し合うのもおすすめです。

（注）エンディングノートに法的効力はありません。

あなたの危機管理チェックシート

もしものときの備えについてどのくらい真剣に考えていますか？
今の自分についての認識不足は、将来への漠然とした不安につながります。
今の自分に何が足りないのかをチェックして、危機管理に役立てましょう。

- ☐ 出生時の本籍地を知っている
- ☐ 健康診断の結果や持病、かかりつけ医の情報を記録している
- ☐ 突然の入院の際、看病してもらうキーパーソンを決めている
- ☐ ペットの情報を記録している
- ☐ 預貯金口座をすべて把握している
- ☐ 有価証券や金融資産のリストを作成している
- ☐ 持っているクレジットカードを把握している
- ☐ 携帯電話やパソコンについての情報をまとめている
- ☐ 家族、親族の連絡先をまとめている
- ☐ 病気や認知症など判断能力が衰えてしまったときに支えてくれるキーパーソンを決めている
- ☐ 告知や終末医療についての希望を記録している
- ☐ 要介護状態になったときの介護の希望をまとめている
- ☐ 自分の法定相続人が誰かを知っている
- ☐ 遺言書を書いている
- ☐ 葬式についての希望を考えている
- ☐ お墓の準備をしている

Part 1

私について

今の自分の情報を整理・記録することは、
もしものときだけでなく、日常生活を
快適に過ごすための備忘録として役立ちます。

私の基本データ

自分の基本情報を記入します。健康保険証や運転免許証、パスポートなどの番号を記入しておくと紛失した際などに役立つ備忘録になります。
マイナンバーカードの有無も記入しておきましょう。

●基本情報

| 記入日 | 年　　月　　日 |

フリガナ　　　　　　　　　　（旧姓）	生年月日
名前	年　　月　　日

現住所　〒

出生時の本籍地

本籍

電話	FAX

携帯電話	携帯電話メールアドレス

パソコンメールアドレス

勤務先名 / 学校名

所在地　〒

電話	FAX

8　（注）不正使用されるおそれがある個人情報は、記入を一部の情報にとどめておくことをおすすめします。

● 身分証明等になるもの

名前	記号・番号・その他	保管場所・その他
健康保険証		
高齢受給者証		
介護保険被保険者証		
基礎年金番号		
そのほかの年金の種類と番号		
パスポート		
運転免許証		

実印、印鑑登録カード	有 ・ 無	マイナンバーカード	有 ・ 無

● 学歴

在籍期間	学校名	在籍期間	学校名

これからの人生に必要なもの、不要なものを整理しましょう

　これからの人生を悔いなく生きるために、過去の楽しかったこと、辛かったこと、したいと思ってもできなかったこと、これからも続けていきたいことなどをちょっと立ち止まって考えてみましょう。そして、これからの自分と家族のために大事なものは何かを考え、必要なもの、不要なものを選別して思いきって整理しましょう。さらに、財産の整理をしていくと心の整理につながります。

Part 1 私について

Part 2 お金について

Part 3 家族・親族・友人について

Part 4 エンディングについて

私の健康状態

アレルギーやかかりつけの医療機関、健康診断に関する情報をまとめて記入しましょう。急病の治療などに役立ちます。

記入日	年　　　月　　　日

身長　　　　　　　　　　　cm	体重　　　　　　　　　　　kg
血液型　　　　　型　RH（＋・－）	アレルギー（食品・薬剤・その他） ☐ 有（　　　　　　　）　☐ 無

●最近受けた健康診断

実施年月日	診断票の保管場所
年　　　月　　　日	

●かかりつけの病院・歯科医院

病院名・診療科名	担当医師名	電話	通院目的・その他

●過去にかかったことのある病気

病名・症状	治療・入院期間	病院

●持病や常用している薬

病名・症状	薬名（保管場所）	医療機関・担当医	発症年月日

Memo
_____
_____
_____
_____

健康状態がわかる資料のコピーを財布に入れて携帯しよう

初めて行く病院では、今までにかかった病気（既往症）や手術などの病歴を聞かれます。そんなとき、このページをコピーしておけばスムーズ。また、突然の病気や事故で緊急搬送されても、コピーがあれば持病と服薬や病歴などから判断して、すぐ必要な検査ができて治療開始までの時間が短縮できます。この初期治療までの数分の差で、命が助かるかもしれません。

住んだ家の記録

出生地から現在までの住所を記入します。住所が思いだせない場合は、市町村まででも書きましょう。

| | 記入日 | 年　月　日 |

期間	住所	思い出など
	〒	
	〒	
	〒	
	〒	
	〒	
	〒	

相続時のために、本籍の履歴は元気なうちに準備しておこう

相続のときには、亡くなった本人の出生から死亡までの戸籍証明書等（戸籍謄本・除籍謄本・改製原戸籍謄本）が必要です。しかし、家族は本人の過去の本籍地について意外に知らないものです。本人の死後、遺族が戸籍を現在からさかのぼって追跡し、謄本を取得するのはひと苦労です。本人が元気なうちに戸籍類を揃えておけば、遺族の負担は大きく軽減されるでしょう。

（注）2024年3月から順次、戸籍証明書等を最寄りの市区町村の窓口でも取得できるようになりました。

私の好きなもの

自分の好きなものを記入しましょう。書き込むうちに自分の好みの傾向を改めて確認できるでしょう。これから夢中になれるものが見つかるかもしれません。

| 記入日 | 年　　月　　日 |

* 食べ物（好きなもの）

* 食べ物（嫌いなもの）

* 映画

* スポーツ・スポーツ観戦

* 本・作家

* 絵画・画家

* 音楽・歌手

* ファッションブランド

* レストラン

* 国・街

* 色

* 花

* 言葉（座右の銘）

* その他

ペットについて

飼っているペットについての情報を記入しましょう。もしものときの対応についてはP.55を参照してください。

| 記入日 | 年　　　月　　　日 |

●ペットの基本情報

名前		性別	年齢（生年月日）
種類	血統書の有無　有　無	血統書の保管場所	血統書の登録番号
好きなフード	嫌いなフード	病気・ケガなど	避妊・去勢手術　有　無
かかりつけの動物病院名（連絡先）		加入している保険会社（連絡先）	保険内容

名前		性別	年齢（生年月日）
種類	血統書の有無　有　無	血統書の保管場所	血統書の登録番号
好きなフード	嫌いなフード	病気・ケガなど	避妊・去勢手術　有　無
かかりつけの動物病院名（連絡先）		加入している保険会社（連絡先）	保険内容

名前		性別	年齢（生年月日）
種類	血統書の有無　有　無	血統書の保管場所	血統書の登録番号
好きなフード	嫌いなフード	病気・ケガなど	避妊・去勢手術　有　無
かかりつけの動物病院名（連絡先）		加入している保険会社（連絡先）	保険内容

●預かってくれる人・施設

氏名・施設名	連絡先	氏名・施設名	連絡先

Part 2

お金について

老後に向けてのマネープランはとても重要です。
今の預貯金や資産、保険内容などを整理すると
将来の夢と目的が具体的に見えてくるでしょう。

預貯金について

口座を持っている金融機関を書き出して整理しましょう。ネットバンク(インターネット銀行)の口座や、通帳のない口座なども記入します。また、現在使用していない口座を閉じることを検討してもよいでしょう。

| 記入日 | 年　　　月　　　日 |

●預貯金口座

金融機関	支店・店番号	預貯金の種類 普通 ・ 定期 ・ その他
口座番号		名義人
備考（連絡先など）		

金融機関	支店・店番号	預貯金の種類 普通 ・ 定期 ・ その他
口座番号		名義人
備考（連絡先など）		

金融機関	支店・店番号	預貯金の種類 普通 ・ 定期 ・ その他
口座番号		名義人
備考（連絡先など）		

金融機関	支店・店番号	預貯金の種類 普通 ・ 定期 ・ その他
口座番号		名義人
備考（連絡先など）		

金融機関	支店・店番号	預貯金の種類 普通 ・ 定期 ・ その他
口座番号		名義人
備考（連絡先など）		

※一定期間利用していない口座に対し「未利用口座管理手数料」等を課す金融機関が増えてきましたのでご注意ください。

口座引き落としについて

金融機関の口座からの自動引き落とし（口座自動振替）状況を整理して、変更手続きの際などに困らないようにしましょう。人が亡くなると、口座は凍結され、自動引き落としはできなくなります。

記入日　　　年　　　月　　　日

● 引き落とし内容と口座の記録

項目	金融機関・支店	口座番号	引落日	備考
電気料金			毎月　　日	
ガス料金			毎月　　日	
水道料金			毎月　　日	
電話料金			毎月　　日	
携帯電話料金			毎月　　日	
NHK 受信料			毎月　　日	
			毎月　　日	
			毎月　　日	
			毎月　　日	
			毎月　　日	
			毎月　　日	

okane ni tuite 「残す口座」、「家計の口座」、「消費の口座」の3つに整理しよう

使っていない口座が増えてしまって整理がつかない場合は、自分で出し入れができなくなった時をイメージして3つに整理をしましょう。❶使う予定がなく、家族に残すお金はしっかりとセキュリティのかかる口座で管理。❷光熱費や保険料など自動引き落としや経費の口座は、そのまま家計明細としてわかるように集約しておくと、家族や後見人が管理することになっても戸惑わずにすみます。❸お財布代わりの口座は、小遣いや消費用にします。

Part 1 私について
Part 2 お金について
Part 3 家族・親族・友人について
Part 4 エンディングについて

有価証券などについて

有価証券や純金積立、プラチナ積立、ゴルフ会員権など、所有する金融資産について整理します。本人以外はわからないことも多いため、できるだけ具体的に書いておくようにしましょう。

| 記入日 | 年　　月　　日 |

●有価証券等の取引金融機関

金融機関	支店・店番号	名義人
口座番号	備考（連絡先など）	

金融機関	支店・店番号	名義人
口座番号	備考（連絡先など）	

金融機関	支店・店番号	名義人
口座番号	備考（連絡先など）	

金融機関	支店・店番号	名義人
口座番号	備考（連絡先など）	

金融機関	支店・店番号	名義人
口座番号	備考（連絡先など）	

金融機関	支店・店番号	名義人
口座番号	備考（連絡先など）	

金融機関	支店・店番号	名義人
口座番号	備考（連絡先など）	

※金融機関から送られてきた報告書をこのページに貼ったり、巻末の収納ポケットに入れておいてもいいでしょう。
(注) 不正使用されるおそれがある個人情報は、記入を一部の情報にとどめておくことをおすすめします。

●その他の金融資産

種類・名称・内容	取扱会社	連絡先・備考

Memo

信用金庫や生活協同組合などへの出資金も相続財産です

　信用金庫や信用組合・農業協同組合・生活協同組合などは、出資金を払い込んで組合員・会員になり利用しています。本人が亡くなったときには、その出資金は相続財産となり、出資金の残高証明書など、預金等の手続きとは別の相続手続きが必要となりますので、ノートに記録しておきましょう。また、利用していない預金口座や協同組合への加入がある場合は、先送りせずに解約・脱退手続きをしておきましょう。

不動産について

今住んでいる自宅はもちろん、相続で引き継いだ土地・建物、資産運用のために貸している土地・建物すべての情報を書きましょう。

記入日　　　年　　月　　日

● **不動産の内容・記録**

不動産の種類	☐土地　☐建物　☐共同住宅　☐田畑　☐その他（　　　）
名義人（共有者含む）	持ち分
所在地・地番	
抵当権　☐設定なし　☐設定あり	備考

不動産の種類	☐土地　☐建物　☐共同住宅　☐田畑　☐その他（　　　）
名義人（共有者含む）	持ち分
所在地・地番	
抵当権　☐設定なし　☐設定あり	備考

不動産の種類	☐土地　☐建物　☐共同住宅　☐田畑　☐その他（　　　）
名義人（共有者含む）	持ち分
所在地・地番	
抵当権　☐設定なし　☐設定あり	備考

不動産の種類	☐土地　☐建物　☐共同住宅　☐田畑　☐その他（　　　）
名義人（共有者含む）	持ち分
所在地・地番	
抵当権　☐設定なし　☐設定あり	備考

※固定資産税の納税通知書のコピーを貼っておくだけでも大丈夫です。
（注）不正使用されるおそれがある個人情報は、記入を一部の情報にとどめておくことをおすすめします。

その他の資産について

美術品や貴金属類、ブランド品、骨董品、着物、自動車などを記入します。また、貸金庫などの保管場所も本人以外にはわかりにくいので、書いておきましょう。

| 記入日 | 年　　　月　　　日 |

財産の種類	保管場所	備考

不動産の相続登記が義務化されました（2024年4月1日より）

　不動産の登記をしなくても、固定資産税を払っておけば問題ないと思っていませんか？不動産を売却するときには、所有者が本人である証明が必要です。長期間のうちに相続人が次々に変わると人数も増え、売却手続きが複雑になっていきます。取り寄せる書類が増え、全員の押印が必要になるので、一人でも印鑑を押さない相続人がいると売却が困難に……。不動産の相続登記の義務化に伴い、相続開始から3年以内に登記をしないと罰則があります。また、義務化前に相続した不動産も2027年3月末日までに登記をしなければなりません。

保険について

生命保険、医療保険、火災保険、自動車保険、学資保険など、契約しているすべての保険について記入しましょう。

| 記入日 | 年 | 月 | 日 |

● 生命保険・共済保険

	1	2	3
保険会社名			
保険・共済の種類			
契約者			
被保険者			
証券番号			
加入日			
死亡保険金			
満期年月日			
満期保険金額			
保険料支払い方法			
支払い終了の期日			
満期保険金受取人			
特約（入院保障ほか）			
死亡時の受取人			
連絡先・担当者			
備考			

●自動車保険（共済の記録）

	1	2	3
保険会社名			
保険の種類	☐自賠責 ☐任意	☐自賠責 ☐任意	☐自賠責 ☐任意
証券番号			
車名			
登録番号			
保険期間			
車体番号			
連絡先・担当者			

●火災保険、傷害保険など

保険の種類	保険会社名	連絡先	備考

円満な相続のためにも生命保険は有効です

　遺産の大半が自宅の土地家屋だけのとき、複数の相続人に分割することが難しくなります。そのときに、現金があれば、代償金で調整することができます。生命保険は、このような場合に相続をスムーズに進める方法として活用できます。とはいえ、保険金と費用のバランスを見る配慮が必要。現在の生活費の圧迫になっては本末転倒です。

年金について

公的・私的（企業年金や個人年金）年金を記入します。申請や死亡時連絡は、公的年金だけでなく、私的年金についても忘れずに行いましょう。

| 記入日 | 年　　月　　日 |

●公的年金

基礎年金番号	
加入したことのある年金の種類	☐国民年金　☐厚生年金　☐共済年金　☐その他（　　　）
年金コード （年金をもらっている人は記入）	
受給日	
受給金額 （予測受給金額）	
年金の受取口座	
備考	

Memo（企業年金・国民年金基金などを記入しましょう）

（注）共済年金は2015年10月から厚生年金に統一されました。

●個人年金

年金の名称		
保険会社名		
受取開始日		
受取期間		
年金の受取口座		
備考		

●職歴

在籍期間	会社名	在籍期間	会社名

ねんきん定期便を貼っておきましょう

　国民年金及び厚生年金保険に加入中の人に、毎年誕生月に送られてくる「ねんきん定期便」。50歳までの人には実績に応じた年金額が、50歳以上の人には受取見込年金額が書かれています。年金は老後のマネープランに欠かせない大事な収入源です。35歳、45歳、59歳時には全期間の加入歴が書かれていますので、誤りがないかを確認し、間違っていたら訂正の手続きをしておきましょう。基礎年金番号がわからないときには、ねんきん定期便に書かれている照会番号で問い合わせることができます。すでに年金をもらっている人は、年金振込通知書を貼っておきましょう。

借入金・ローンについて

ローンを含めた借金をすべて記入します。借入金や知人の借金の保証人になった場合の保証債務も、相続の対象になります。相続人が詳細を知らないと、借金や保証債務まで相続してしまい、思わぬトラブルに巻き込まれることもあるので、きちんと書いておきましょう。

| 記入日 | 年　　月　　日 |

●主な借入金・ローン（住宅、教育、自動車など）

借入先	連絡先
借入日	借入金額と借入残高
返済期限	借入目的
契約書の保管場所	備考

借入先	連絡先
借入日	借入金額と借入残高
返済期限	借入目的
契約書の保管場所	備考

借入先	連絡先
借入日	借入金額と借入残高
返済期限	借入目的
契約書の保管場所	備考

●保証債務（借金の保証人など）

保証した日	保証した金額
主債務者（お金を借りた人）・連絡先	
債権者（お金を貸した人）・連絡先	
契約書の保管場所	
備考	

貸付金について

貸付金は相続財産であり、相続税の対象になります。貸付理由や利息、返済期限なども備考欄に書いておくといいでしょう。

| 記入日 | 年 月 日 |

●貸付金の記録

貸付先	連絡先
貸付日	貸付金額

返済方法

証書　☐有（保管場所　　　　　　　　　　　　）☐無

返済状況など

備考

貸付先	連絡先
貸付日	貸付金額

返済方法

証書　☐有（保管場所　　　　　　　　　　　　）☐無

返済状況など

備考

連帯保証で証書が手元にないことも……

　借用書の連帯保証人欄に名前を書けば、自分も借手と同様の債務を負うことになります。当然、借用書は大切な書類ですが、原本は貸手と借手が持っていて連帯保証人の手元にない場合があります。家族に伝えておかないと、本人が亡くなった場合には相続人が返済する羽目になりかねません。保証人になっている場合には、しっかりとその内容を書いておきましょう。

クレジットカードについて

クレジットカードの連絡先などを記入します。また、使わなくなったカードを解約することも考えましょう。不正使用を防止するために、有効期限や暗証番号は書かないようにして、カード番号も一部のみを記入します。

● クレジットカード

記入日　　　年　　月　　日

カード名	カード番号
紛失時の連絡先	備考

カード名	カード番号
紛失時の連絡先	備考

カード名	カード番号
紛失時の連絡先	備考

カード名	カード番号
紛失時の連絡先	備考

カード名	カード番号
紛失時の連絡先	備考

カード名	カード番号
紛失時の連絡先	備考

Okane ni tuite
クレジットカードのリボ払いは「借金」だということを忘れずに！

クレジットカードの「リボ払い」を、仕組みを理解しないまま安易に利用していませんか？確かにリボ払いは、毎月の支払いが定額なので、家計管理がしやすい利点があります。しかし、借入総額が増えても毎月の返済金額が変わらないとうことは、金利負担が増え（多くのカード会社の金利は年間 15 〜 18％）、返済期間を延長していること。「未払残高」は借金だということを理解して、計画的に利用しましょう。

（注）不正使用されるおそれがある個人情報は、記入を一部の情報にとどめておくことをおすすめします。

携帯電話・パソコンについて

携帯電話やパソコンには、人に見られたくない個人情報なども入っています。備考欄には、もしものときのデジタルデータ削除に関する希望を記入しておきましょう。

| 記入日 | 年 | 月 | 日 |

●携帯電話

契約会社	携帯電話番号
名義人	携帯メールアドレス
紛失時などの連絡先	
備考	

●パソコン

メーカー・型番・OSなど	ユーザー名/パスワード
サポートセンターなどの連絡先	
プロバイダー名	プロバイダーの連絡先
メールアドレス	
備考	

パスワードの管理に注意しましょう！

　最近はパスワードを登録する機会が多くなりましたが、さらにネット取引やクレジットカード、各種サイトへと増え続け、その結果、多くのパスワードを作るはめに……。人に知られては困る個人情報ですが、自分でも覚えきれませんので、エクセルなどの表にまとめておきましょう。ただし、銀行、証券会社などのお金に関する大事なパスワードは別管理に！パスワードを一括管理してくれるソフトもありますが、玉石混交なので注意が必要です。

（注）不正使用されるおそれがある個人情報は、記入を一部の情報にとどめておくことをおすすめします。

Memo

Part 3

家族・親族・友人について

家族や親族、友人など、自分の交友情報を
整理しておくと、もしものときの連絡に役立ちます。
家族が見てもわかるよう記録しておきましょう。

家族の基本情報

家族の基本情報を記入します。他に住所録がある場合や書ききれない場合は、別紙やコピーを貼りつけてもいいでしょう。

記入日　　　年　　月　　日

・名前（フリガナ）　　　　　　　　　・生年月日　　年　　月　　日　　・続柄
・現住所　　　　　　　　　　　　　　・血液型
・電話　　　　　　　・FAX　　　　　・携帯電話
・メールアドレス　　　　　　　　　　・勤務先／学校
・備考

・名前（フリガナ）　　　　　　　　　・生年月日　　年　　月　　日　　・続柄
・現住所　　　　　　　　　　　　　　・血液型
・電話　　　　　　　・FAX　　　　　・携帯電話
・メールアドレス　　　　　　　　　　・勤務先／学校
・備考

・名前（フリガナ）　　　　　　　　　・生年月日　　年　　月　　日　　・続柄
・現住所　　　　　　　　　　　　　　・血液型
・電話　　　　　　　・FAX　　　　　・携帯電話
・メールアドレス　　　　　　　　　　・勤務先／学校
・備考

・名前（フリガナ）　　　　　　　　　・生年月日　　年　　月　　日　　・続柄
・現住所　　　　　　　　　　　　　　・血液型
・電話　　　　　　　・FAX　　　　　・携帯電話
・メールアドレス　　　　　　　　　　・勤務先／学校
・備考

・名前（フリガナ）　　　　　　　　　・生年月日　　年　月　日　・続柄

・現住所　　　　　　　　　　　　　　・血液型

・電話　　　　　　　・FAX　　　　　・携帯電話

・メールアドレス　　　　　　　　　　・勤務先 / 学校

・備考

・名前（フリガナ）　　　　　　　　　・生年月日　　年　月　日　・続柄

・現住所　　　　　　　　　　　　　　・血液型

・電話　　　　　　　・FAX　　　　　・携帯電話

・メールアドレス　　　　　　　　　　・勤務先 / 学校

・備考

・名前（フリガナ）　　　　　　　　　・生年月日　　年　月　日　・続柄

・現住所　　　　　　　　　　　　　　・血液型

・電話　　　　　　　・FAX　　　　　・携帯電話

・メールアドレス　　　　　　　　　　・勤務先 / 学校

・備考

Memo

災害時を想定して住所・電話番号を紙に記録しておこう

　電話番号や住所などのデーターをスマートフォン（携帯電話）やパソコンで管理している人は多いでしょう。しかし、災害時などそれらの機器が使えなくなった非常事態のために、家族の名前、住所、電話番号、生年月日などの情報は紙に記録しておきましょう。コメントや地図などの補足情報を書き加えておくのもいいですね。

親族について

親族の連絡先を記入します。家族が見たときにもわかるように、備考欄に普段使っている呼び名や愛称を記入しておきましょう。また、間柄も具体的に書いておくとわかりやすいでしょう。

| 記入日 | 年 | 月 | 日 |

- 名前（フリガナ）　　　　　　　　　　　・間柄

- 現住所　　　　　　　　　　　　　　　　・連絡先

- 入院時連絡　☐する　☐しない　☐どちらでもよい　・葬式時連絡　☐する　☐しない　☐どちらでもよい

- 備考

- 名前（フリガナ）　　　　　　　　　　　・間柄

- 現住所　　　　　　　　　　　　　　　　・連絡先

- 入院時連絡　☐する　☐しない　☐どちらでもよい　・葬式時連絡　☐する　☐しない　☐どちらでもよい

- 備考

- 名前（フリガナ）　　　　　　　　　　　・間柄

- 現住所　　　　　　　　　　　　　　　　・連絡先

- 入院時連絡　☐する　☐しない　☐どちらでもよい　・葬式時連絡　☐する　☐しない　☐どちらでもよい

- 備考

- 名前（フリガナ）　　　　　　　　　　　・間柄

- 現住所　　　　　　　　　　　　　　　　・連絡先

- 入院時連絡　☐する　☐しない　☐どちらでもよい　・葬式時連絡　☐する　☐しない　☐どちらでもよい

- 備考

- 名前（フリガナ）　　　　　　　　　　　・間柄

- 現住所　　　　　　　　　　　　　　　　・連絡先

- 入院時連絡　☐する　☐しない　☐どちらでもよい　・葬式時連絡　☐する　☐しない　☐どちらでもよい

- 備考

| ・名前（フリガナ） | ・間柄 |

・現住所　　　　　　　　　　　　　　　　・連絡先

・入院時連絡　☐する　☐しない　☐どちらでもよい　・葬式時連絡　☐する　☐しない　☐どちらでもよい

・備考

・名前（フリガナ）　　　　　　　　　　　・間柄

・現住所　　　　　　　　　　　　　　　　・連絡先

・入院時連絡　☐する　☐しない　☐どちらでもよい　・葬式時連絡　☐する　☐しない　☐どちらでもよい

・備考

・名前（フリガナ）　　　　　　　　　　　・間柄

・現住所　　　　　　　　　　　　　　　　・連絡先

・入院時連絡　☐する　☐しない　☐どちらでもよい　・葬式時連絡　☐する　☐しない　☐どちらでもよい

・備考

・名前（フリガナ）　　　　　　　　　　　・間柄

・現住所　　　　　　　　　　　　　　　　・連絡先

・入院時連絡　☐する　☐しない　☐どちらでもよい　・葬式時連絡　☐する　☐しない　☐どちらでもよい

・備考

Memo

「〇〇のおばちゃん」といった愛称ではわかりません！

親族の場合、「名古屋のおばちゃん」といった愛称で呼び合うことが多いでしょう。でも、自分はわかっていても、子どもたちは本当の名前がわかっているでしょうか？ もしものときに愛称しか知らないと、連絡をとるのに時間がかかる場合があります。名簿には氏名や現住所、連絡先とともに、備考欄に「〇〇のおばちゃん」と記入しておきましょう。

友人・知人について

友人・知人の名簿を作りましょう。もしもの緊急時に連絡してほしい友人・知人、連絡してほしくない人などを、わかるようにしておきましょう。

| 記入日 | 年　　月　　日 |

・名前（フリガナ）　　　　　　　　　　　　　　　・関係

・現住所　　　　　　　　　　　　　　　　　　　・連絡先

・葬式時連絡　☐する　☐しない　☐どちらでもよい

・備考

・名前（フリガナ）　　　　　　　　　　　　　　　・関係

・現住所　　　　　　　　　　　　　　　　　　　・連絡先

・葬式時連絡　☐する　☐しない　☐どちらでもよい

・備考

・名前（フリガナ）　　　　　　　　　　　　　　　・関係

・現住所　　　　　　　　　　　　　　　　　　　・連絡先

・葬式時連絡　☐する　☐しない　☐どちらでもよい

・備考

・名前（フリガナ）　　　　　　　　　　　　　　　・関係

・現住所　　　　　　　　　　　　　　　　　　　・連絡先

・葬式時連絡　☐する　☐しない　☐どちらでもよい

・備考

・名前（フリガナ）　　　　　　　　　　　　　　　・関係

・現住所　　　　　　　　　　　　　　　　　　　・連絡先

・葬式時連絡　☐する　☐しない　☐どちらでもよい

・備考

・名前（フリガナ）	・関係
・現住所	・連絡先
・葬式時連絡　☐する　☐しない　☐どちらでもよい	
・備考	

・名前（フリガナ）	・関係
・現住所	・連絡先
・葬式時連絡　☐する　☐しない　☐どちらでもよい	
・備考	

・名前（フリガナ）	・関係
・現住所	・連絡先
・葬式時連絡　☐する　☐しない　☐どちらでもよい	
・備考	

・名前（フリガナ）	・関係
・現住所	・連絡先
・葬式時連絡　☐する　☐しない　☐どちらでもよい	
・備考	

・名前（フリガナ）	・関係
・現住所	・連絡先
・葬式時連絡　☐する　☐しない　☐どちらでもよい	
・備考	

・名前（フリガナ）	・関係
・現住所	・連絡先
・葬式時連絡　☐する　☐しない　☐どちらでもよい	
・備考	

Part 1　私について

Part 2　お金について

Part 3　家族・親族・友人について

Part 4　エンディングについて

- 名前（フリガナ）　　　　　　　　　　　　　　・関係

- 現住所　　　　　　　　　　　　　　　　　　　・連絡先

- 葬式時連絡　　☐する　☐しない　☐どちらでもよい

- 備考

- 名前（フリガナ）　　　　　　　　　　　　　　・関係

- 現住所　　　　　　　　　　　　　　　　　　　・連絡先

- 葬式時連絡　　☐する　☐しない　☐どちらでもよい

- 備考

- 名前（フリガナ）　　　　　　　　　　　　　　・関係

- 現住所　　　　　　　　　　　　　　　　　　　・連絡先

- 葬式時連絡　　☐する　☐しない　☐どちらでもよい

- 備考

- 名前（フリガナ）　　　　　　　　　　　　　　・関係

- 現住所　　　　　　　　　　　　　　　　　　　・連絡先

- 葬式時連絡　　☐する　☐しない　☐どちらでもよい

- 備考

- 名前（フリガナ）　　　　　　　　　　　　　　・関係

- 現住所　　　　　　　　　　　　　　　　　　　・連絡先

- 葬式時連絡　　☐する　☐しない　☐どちらでもよい

- 備考

- 名前（フリガナ）　　　　　　　　　　　　　　・関係

- 現住所　　　　　　　　　　　　　　　　　　　・連絡先

- 葬式時連絡　　☐する　☐しない　☐どちらでもよい

- 備考

・名前（フリガナ）	・関係
・現住所	・連絡先

・葬式時連絡　☐する　☐しない　☐どちらでもよい

・備考

・名前（フリガナ）	・関係
・現住所	・連絡先

・葬式時連絡　☐する　☐しない　☐どちらでもよい

・備考

・名前（フリガナ）	・関係
・現住所	・連絡先

・葬式時連絡　☐する　☐しない　☐どちらでもよい

・備考

・名前（フリガナ）	・関係
・現住所	・連絡先

・葬式時連絡　☐する　☐しない　☐どちらでもよい

・備考

・名前（フリガナ）	・関係
・現住所	・連絡先

・葬式時連絡　☐する　☐しない　☐どちらでもよい

・備考

Memo

Part 1　私について

Part 2　お金について

Part 3　家族・親族・友人について

Part 4　エンディングについて

所属団体(グループ)について

趣味のサークルや同窓会、所属する団体について記入します。

| 記入日 | 年　　月　　日 |

名称（フリガナ）	代表者名	連絡先	備考

kazoku yujin ni tuite
記録しておいてよかった友人・知人の連絡先

　家族でもそれぞれの交友関係をすべて知っているわけではありません。友人・知人・所属団体などの連絡先が記録してあると、本人に代わって連絡することができます。また、もしものときにも役立ちますので、信頼できる人にこのノートの存在を伝えておきましょう。備考欄に、会社関係、幼なじみ、趣味の仲間など関係性も書き加えておくと、連絡するときの参考になります。

Part 4

エンディング
について

誰にも訪れる終末期を自分らしく迎えるために、
また、のこされた家族が困らないように、
元気なうちに自分の意思を記録しておきましょう。

看護・介護について

交通事故や病気・ケガ、認知症などによって判断能力が衰えたり、コミュニケーション能力が低下したときのために、自分の看護・介護についての考えや希望を記入しましょう。

| 記入日 | 年　　月　　日 |

● 入院したときに看護をお願いしたい人

- ☐ 配偶者（名前）　　　　　　　　　　・連絡先
- ☐ 子ども（名前）　　　　　　　　　　・連絡先
- ☐ その他の人（名前）　　　　　　　　・連絡先
- ・備考

● 介護をお願いしたい人

- ☐ 配偶者（名前）　　　　　　　　　　・連絡先
- ☐ 子ども（名前）　　　　　　　　　　・連絡先
- ☐ その他の人（名前）　　　　　　　　・連絡先
- ・備考

● 自分で財産の管理ができなくなったとき管理をお願いしたい人

- ☐ 配偶者（名前）　　　　　　　　　　・連絡先
- ☐ 子ども（名前）　　　　　　　　　　・連絡先
- ☐ 特定の人に依頼済み
   - ・名前　　　　　・関係　　　　　・連絡先
- ☐ 任意後見人　　☐ 代理人（事務委任契約）
   - ・名前　　　　　・関係　　　　　・連絡先

●介護の希望

- ☐ 自宅で、介護は家族にお願いしたい（介護保険によるサービスも適宜利用）
- ☐ 自宅で、ヘルパーなどのプロに手伝ってもらいながら、家族と過ごしたい
- ☐ 介護施設や病院に入りたい
- ☐ 家族や親族の判断に任せる

●介護をしてくれる人に伝えたいこと

- ☐ 私の希望は上記の通りですが、負担がかかりすぎないようにしてください
- ☐ 状況に応じてプロの手を借りてください
- ☐ そのほか（　　　　　　　　　　　　　　　　　　　　　　　　　　　　　）

●介護や医療にかかる費用

- ☐ 預貯金や年金など自分の財産から使ってほしい
- ☐ 保険に加入している　　保険会社名　　　　　保険名　　　　　連絡先
- ☐ 家族、親族の判断に任せる

・備考

Memo

---

ending ni tuite

介護のキーパーソンを決めておきましょう

　病気や介護状態になったときには、病気の説明を聞いて治療法を決めたり、入院の書類を書くことなどが必要となります。自分で判断できなくなったとき、あなたの気持ちを代弁して、あなたが望む治療や介護が受けられるように、あなたの代理をしてくれる人（キーパーソン）を決めておきましょう。一人だけでなく、複数人決めておくとよいでしょう。

告知・終末医療について

もしもあなたが重病になったとき、病名や余命の告知を希望するかどうか。また、回復の見込みがない状態で延命治療を行うか、あなたの考えがわかれば家族やまわりの人の負担を軽減することができます。

| 記入日 | 年 月 日 |

●私の治療方針について

名前＿＿＿＿＿＿＿＿＿＿＿＿＿＿＿＿＿＿＿＿の意見を尊重して決めてください。

（連絡先　　　　　　　　　　　　　　　）

※指定した人にあらかじめお願いをしておきましょう。

●病名・余命の告知について

☐ 病名も余命も告知しないでほしい

☐ 病名のみ告知希望

☐ 余命が（　　　　　　　　　　）ヵ月以上であれば、病名・余命とも告知希望

☐ 余命の期間に関わらず、病名・余命とも告知希望

☐ その他（　　　　　　　　　　　　　　　　　　　　　　　　　　　）

●延命治療・終末医療について

＊ホスピスについて

☐ ホスピスに入りたい　　☐ ホスピスに入りたくない　　☐ 特に考えていない

＊延命治療について

☐ 回復の見込みがなくても、できるかぎりの延命治療をしてほしい

☐ 延命より苦痛緩和を重視してほしい

☐ 回復の見込みがないのであれば、延命治療は打ち切ってほしい

☐ 尊厳死を希望し、書面を作成している（保管場所など　　　　　　　　　　　　　　　）

☐ その他（　　　　　　　　　　　　　　　　　　　　　　　　　　　）

✳ **臓器提供・献体について**

☐ 臓器提供意思表示カードを持っている（保管場所　　　　　　　　　　　　　　　　　）

☐ 角膜提供のためアイバンクに登録している（保管場所　　　　　　　　　　　　　　　）

☐ 献体の登録をしている（登録した団体　　　　　　　　　　電話番号　　　　　　　　）

☐ 臓器提供や献体はしたくない

☐ 特に考えていない

☐ その他（　　　　　　　　　　　　　　　　　　　　　　　　　　　　　　　　　　　）

Memo

---

ending ni tuite
終末医療をどうするかは、最も大切な意思表示です

　不治の病で死期が迫ったときに延命治療に入ることは、家族にとってつらい決断を迫られることになります。本人の意思があらかじめ示されていれば、家族の精神的な負担は軽減されるでしょう。延命治療を受けたくない場合は、日頃から家族や主治医などにその意思を伝えておくことが大切。公証役場で「尊厳死宣言公正証書」を作成する方法もあります。

葬式について

葬式の準備として生前予約をしている場合は、連絡先などを記入しましょう。準備をしていない人は、葬式の希望などについて記入します。自分の希望だけでなく、家族のことも考えて実行しやすいものにしましょう。

| 記入日 | 年　　　月　　　日 |

● 葬儀会社と生前予約をしている

・業者名　　　　　　　　　　　　　　　・連絡先

・契約内容

● 葬式の希望について

- ☐ できるだけ盛大にしてほしい
- ☐ 質素にしてほしい
- ☐ しなくてもいい
- ☐ 標準的にしてほしい
- ☐ 家族・親族に任せる

・宗教について
- ☐ 仏教
- ☐ キリスト教
- ☐ その他の宗教（　　　　　　　　　）
- ☐ 無宗教
- ☐ 家族・親族に任せる

＊菩提寺がある場合や、特定の寺社・教会や宗派を希望する場合

・名称　　　　　　　　　　　　　　　　・連絡先

＊葬儀会社や会場について
- ☐ 特に考えていない
- ☐ 会員になっている（業者名　　　　　　　　　）
- ☐ 予約や入会はしていないが希望する葬儀会社がある（　　　　　　　　　）
- ☐ 予約や入会はしていないが希望する会場がある（　　　　　　　　　）

＊葬式の形式について
- ☐ 一般的な葬式
- ☐ 火葬のみ（直葬）
- ☐ 家族・親族のみで家族葬 ⇒ 火葬 ⇒ 一般向けにお別れ会
- ☐ 家族・親族のみで家族葬⇒火葬
- ☐ 家族・親族に任せる

＊葬式費用について
- ☐ 預金を使ってほしい
- ☐ 保険・共済などで工面してほしい
- ☐ 互助会に加入　（名称・連絡先　　　　　　　　　　　　　　　　）
- ☐ その他（　　　　　　　　　　　　　　　　　　　　　　　　　）

＊喪主・施主について
・名前　　　　　　　　　　　　　　　　　　　　・連絡先

＊戒名（法名・法号など）について
☐ 標準的な戒名　　　　☐ 戒名はつけないでほしい　　　　☐ 家族・親族に任せる
☐ すでに用意してある（戒名　　　　　　　　　　　）・連絡先

＊遺影について
☐ 特に決めていない　　　☐ 家族・親族に任せる
☐ 使ってほしい写真がある（保管場所　　　　　　　　　　　　　　　　　　　　　）

＊死装束について
☐ 身に付けたいものがある（内容　　　　　　　　　　）　☐ 家族・親族に任せる

＊香典・供花について
☐ 一般的な形でいただく　　　☐ 辞退してほしい　　　☐ 家族・親族に任せる

＊祭壇について
☐ 生花祭壇　花の種類・色など
☐ 白木祭壇　　☐ その他祭壇の希望（　　　　　　　　　　）　☐ 家族・親族に任せる

＊会場に流す音楽について
・曲名など　　　　　　　　　　　　　　　　　・保管場所

＊その他の希望など

---

ending ni tuite
元気なうちに葬式の希望を伝えておきましょう

　ドラマでは霊安室で遺族たちが故人とお別れしているシーンがありますが、現実は病院で亡くなるとすぐに看護師から「葬儀社に連絡をしてください」と、一刻も早く出るように急かされます。そんなとき、あなたの希望（予約している葬儀社や葬式の内容など）を遺族が知らなかったら、希望と全く違う葬式になるかもしれません。もしものときに備え、このノートの保管場所を伝えておきましょう。

お墓について

少子化や家族形態の多様化にともない、お墓についての考え方も変わってきました。先祖のお墓を守るか、自分のお墓を建てるかなどを考えながら記入しましょう。

| 記入日 | 年 | 月 | 日 |

● お墓を用意している場合

・墓地の名称

・連絡先

・所在地（区画番号）

・墓地使用権者

● 希望する墓について

☐ 先祖代々の墓　　　　　　　☐ すでに購入している墓

☐ 新たに購入（希望の場所：　　　　　　　　　　　　　　　）

☐ 永代供養墓（希望の場所：　　　　　　　　　　　　　　　）

☐ 納骨堂（希望の場所：　　　　　　　　　　　　　　　　　）

☐ 樹木葬墓地（希望の場所：　　　　　　　　　　　　　　　）

☐ 散骨してほしい（希望の場所：　　　　　　　　　　　　　）

☐ 自宅に置いてほしい（期間：　　　　　　　　　　　　　　）

☐ 家族・親族の判断に任せる

・備考

---

ending ni tsuite ✽ 「永代」は「永久」ではないお墓の世界

　お墓を購入するには「永代使用料」が必要ですが、これは"管理料を払っている限り"という条件付きで墓地を使う権利を買うお金です。また、「永代供養墓」といっても、永久に供養してもらえるわけではなく、お墓によって供養の形や期間が異なります。また、遺骨を個別に安置する期間も異なりますので、よく確認しておきましょう。

● お墓・法要・供養に関する希望

遺言書・相続について

遺言書を作成しているかいないか、作成している場合はどのようなタイプを作成しているかなどを記入します。遺族や親族が遺言書の存在を知らないと、希望と異なる遺産分割協議をしてしまうこともあります。

| 記入日 | 年 | 月 | 日 |

●遺言書の有無

☐ 遺言書を作成していない

☐ 遺言書を作成している
- ☐ 自筆証書遺言　☐ 公正証書遺言　☐ その他（　　　　）
- ・一番新しい遺言を作成した日：　　　年　　　月　　　日

●遺言執行者

・名前（フリガナ）

・職業

・間柄

・住所

・連絡先

・備考

●依頼・相談している専門家

・事務所名

・名前（フリガナ）

・職業

・住所

・連絡先

・依頼内容

●相続に関する希望

相続に関する希望を記入しておくと、家族の参考情報として役立ちます。
ただし、法的な効果は発生しません。法的な効果を求める場合には、遺言書を作成しておきましょう。

遺言が書きやすく、安全に保管できるようになりました

　自筆証書遺言の要件が緩和されました。以前は遺言者が、その全文、日付、氏名を自筆で作成しなければなりませんでしたが、法律が改正され、相続財産の目録はパソコンでの作成や通帳のコピー、登記事項証明書を利用することができるようになりました。ただしその場合は、すべてのページに署名・押印が必要です。遺言書は自宅で保管もできますが、改ざんや紛失の心配があります。それを防ぐために自筆証書遺言書保管制度ができました。

※自筆証書遺言書保管制度は、法務局で遺言書を管理・保管してもらえる制度です。
　法務局に遺言者本人が必要書類を揃えて申請します（詳しくは法務省のホームページをご確認ください）。

法定相続人がわかる家系図

この家系図をつくることで自分の法定相続人が把握できます。

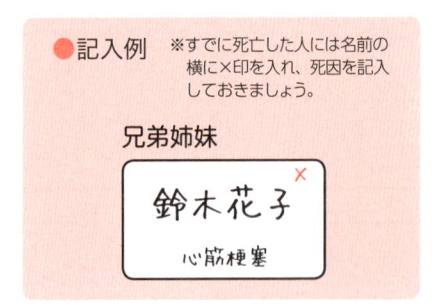

● 記入例　※すでに死亡した人には名前の横に×印を入れ、死因を記入しておきましょう。

兄弟姉妹

鈴木花子×
心筋梗塞

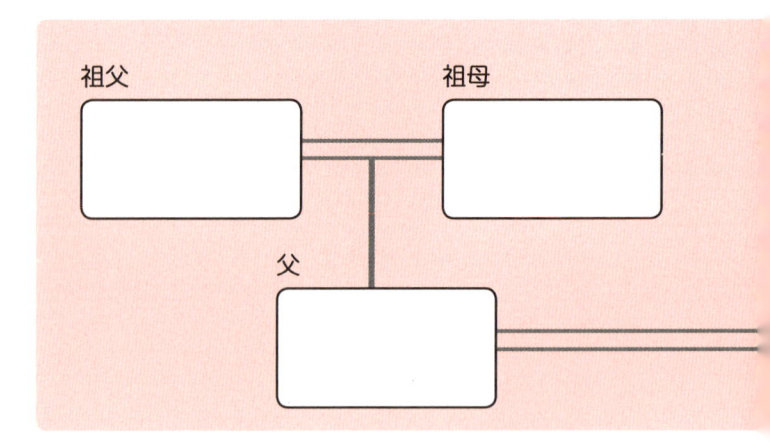

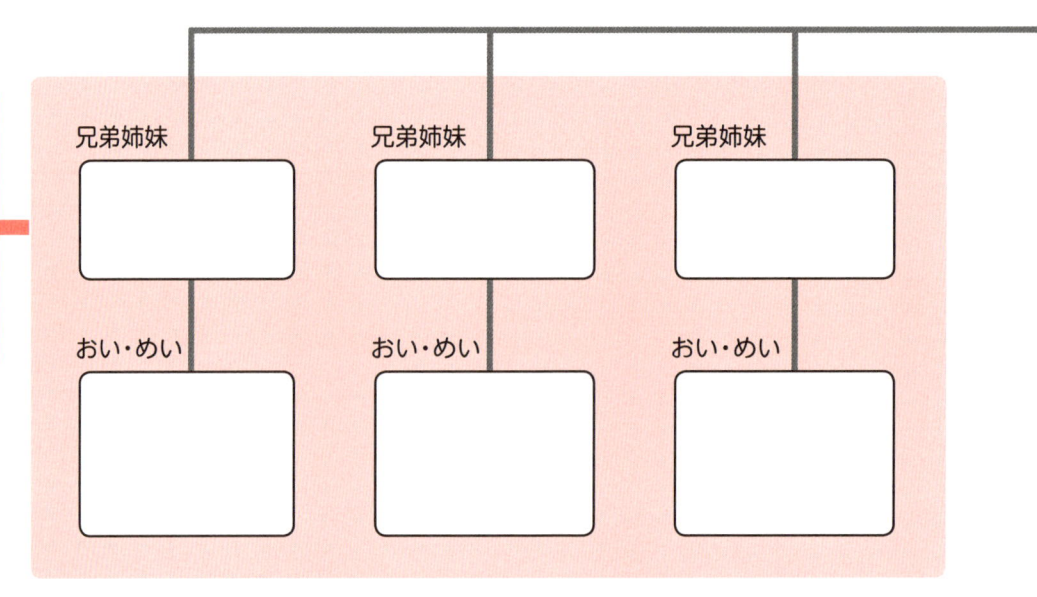

祖父　　祖母

父

第三順位　兄弟姉妹が死亡している場合は、おい・めいに

兄弟姉妹　兄弟姉妹　兄弟姉妹

おい・めい　おい・めい　おい・めい

ending ni tuite

離婚後に再婚した場合も、前配偶者との子どもは相続人になる

　相続を円満に進めるための準備として、まず自分にとって法律で定められている相続人が誰なのかをしっかりと把握しておくことが第一歩となります。家系図を書くことは、そのための確実な方法。離婚後に再婚した場合、前配偶者は相続人になりませんが、前配偶者との子どもは相続人になります。また、養子は実子と同じ扱いになるので、再婚時に配偶者の連れ子と養子縁組をすることで、実子と同様の順位で相続人になります。

※第一順位が全くいない場合は、第二順位が、
第一、第二順位が全くいない場合は、第三順位が
それぞれ相続人になる

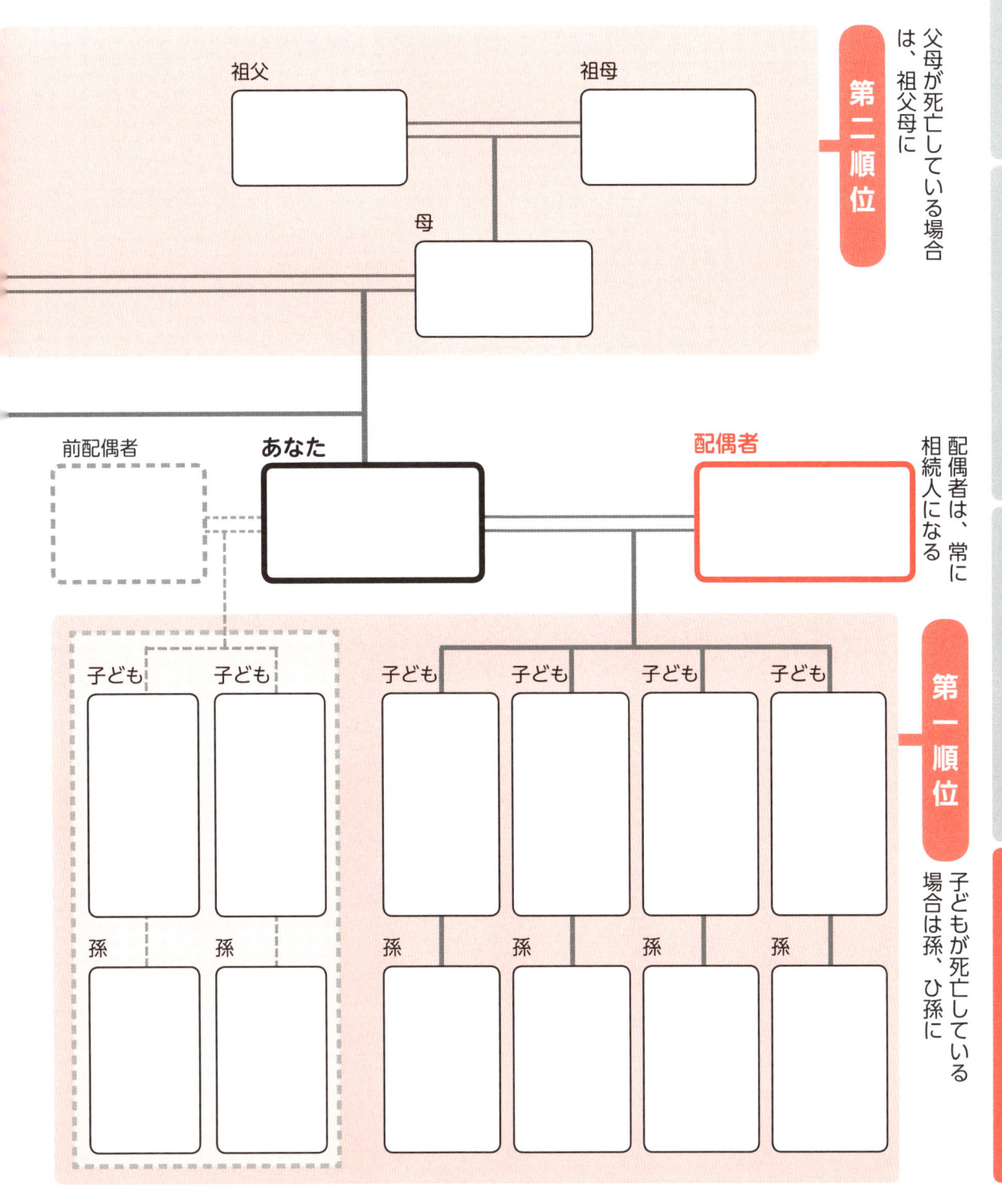

| 記入日 | 年 　 月 　 日 |

第二順位 — 父母が死亡している場合は、祖父母に

- 祖父
- 祖母
- 母

配偶者 — 配偶者は、常に相続人になる

- 前配偶者
- あなた
- 配偶者

第一順位 — 子どもが死亡している場合は孫、ひ孫に

- 子ども / 子ども（前配偶者側）
- 孫 / 孫
- 子ども × 4（配偶者側）
- 孫 × 4

Part 1 私について
Part 2 お金について
Part 3 家族・親族・友人について
Part 4 エンディングについて

53

その他、死後の対応の希望

仕事の事後処理やパソコンの処分など、もしものときの対応についての希望を記入しましょう。

記入日　　　年　　月　　日

仕事について	私が在職中に死亡した場合は、次のように処理してください。 ☐（　　　　　　　　　　さん）に連絡をしてください。 　連絡先： ☐（　　　　　　　　　　さん）に事後処理をお願いしてください。 　連絡先： ☐ 顧客や関係者に死亡の事実を知らせてください。 ☐ 私の行っている事業の廃止手続きをしてください。 ☐ その他（　　　　　　　　　　　　　　　　　　　） ・備考 ［　　　　　　　　　　　　　　　　　　　　　　　　］
パソコンの処分について	☐ パソコンの内容を見ないでください。 ☐ パソコンの内容を見られても気にしません。 ☐ パソコンの内容を消去して、廃棄処分にしてください。 ☐ 家族が自由に使ってください。 ☐ その他（　　　　　　　　　　　　　　　　　　　） ・備考 ［　　　　　　　　　　　　　　　　　　　　　　　　］ ※家族に内容を見られてもいい場合は、パソコンを起動する際のパスワードを記入してください。

インターネットの処理について	☐ プロバイダーとの契約を解除してください。 ☐ 私のホームページやブログ、フェイスブックや、X（旧ツイッター）を閉鎖してください。IDとパスワードは（　　　さん）に伝えてあります。 ☐ 私のホームページやブログ、フェイスブックやX（旧ツイッター）に、私が死んだというお知らせを掲載してください。 ☐ メールソフトのアドレス帳に登録した人たちに、私の死亡をメールで知らせてください。 ・備考 〔　　　　　　　　　　　　　　　　　　　　　　　　　〕
日記の処分について	☐ 日記を書いています。 ☐ 日記の保管場所は、（　　　　　　　　　　　　　）です。 ☐ 日記の内容は、読まないでください。 ☐ 日記の内容は、読んでもかまいません。 ☐ 私の葬式の際に日記を棺に入れるか、焼却処分をしてください。 ☐ その他（　　　　　　　　　　　　　　　　　　） ・備考 〔　　　　　　　　　　　　　　　　　　　　　　　　　〕
ペットの処遇について	☐ できれば（　　　　　さん）にペット（　　　　　）の面倒をみてほしいです。 ☐ ペットの施設（　　　　　　　　　）で世話をしてもらいたい。 ☐ その他（　　　　　　　　　　　　　　　　　　） ・備考 〔　　　　　　　　　　　　　　　　　　　　　　　　　〕

---

ending ni tuite

法定相続情報証明制度の利用で、相続手続きがラクになります

　銀行口座の解約や証券会社の名義変更、不動産の所有権移転など相続の手続きをするには、各窓口に故人の出生から死亡までの戸籍謄本などを提出しなければなりません。法定相続情報証明制度では、戸籍に基づいて作成した法定相続情報一覧図に戸除籍謄本等を添付して登記所に提出し、認証を受けることができます。認証文付きの写しを利用することで、各種相続手続きで戸籍謄本等の束を何度も出し直す必要がなく、相続手続きがスムーズに行えます。

ファイナンシャルプランナーが教える

終活についてのQ&A

Q 介護や看病について事前の備えはどのようにすればいい？

自分の健康状態を把握しているかかりつけ医を持っておくと安心

「ちょっと調子が悪い」「熱がある」といった体調不調時に、自分の病歴、服薬内容、健康状態をいつも知っておいてくれるかかりつけ医がいると安心です。入院や手術などが必要なときは、自分に合った医療機関を紹介してもらえます。

将来的に介護サービスの利用申請時や成年後見の申し立てをするときには、医師の意見書、診断書が必要になります。自分の健康状態を把握しているかかりつけ医がいれば、適切に対応してもらえるでしょう。

また、病気やケガなどは、いつ起こるかわかりません。手術をする場合は病院から立会人、保証人を求められます。緊急時にかけつけてくれる人（家族や友人）を決めて、あらかじめ頼んでおくことが大事です。また、緊急入院でなくても、何もかも自分で行うことはできません。普段から自分の体調を家族や友人に伝えておきましょう。ひとり暮らしの人、家族が遠く離れている人は、昔から「遠くの親戚より近くの他人」といわれているように、近所の人との交流を大事にし、信頼できる人にかけつけてもらえるようにお願いしておきましょう。

地域包括支援センターと介護施設の種類を知っておこう

高齢者になると健康不安とともに、介護が必要になった場合はどうしたらよいかが心配になります。

元気なうちに自分をサポートしてくれる制度などの情報を集めておくことが、安心につながります。

相談窓口として地域包括支援センターがあります。住み慣れた地域で生活ができるよう保健・福祉の専門家である保健師、主任介護支援専門員（主任ケアマネジャー）、社会福祉士が中心となってあらゆる相談にのってくれます。地域包括支援センターは住んでいる場所によって決められていますので、市町村の広報誌やホームページ等で確認しておくとよいでしょう。

自宅での生活が難しくなったら、暮らす場所として高齢者向けの施設・住宅が選択肢になります。介護3施設※、有料老人ホーム、サービス付き高齢者向け住宅等がありますが、種類と内容は様々なため、費用や場所、サービス内容をよく検討することが大切です。最期まで自宅ですごすか、介護が必要になったら施設に移るか、自分に合った暮らし方を考えましょう。

※介護3施設……介護保険法でいう施設は次の3施設になります。
①介護老人福祉施設（特養）、②介護老人保健施設（老健）、③介護医療院

Q お葬式やお墓などの事前の準備はどうすればいい？

家族に負担をかけない家族葬を希望する人が増えている

「家族葬」とは、家族や親族、親しい友人・知人など少人数で見送る葬式のことです。「弔問客への接待で疲れない」「費用がかからない」「故人が高齢」などの理由から、急速に増えてきました。

ただし、小規模でも会場を借りて祭壇を設置すると費用がかかり、お香典が入らないぶん遺族の出費がかさむ場合があります。今は、葬儀社で自分の葬式の相談ができますので、相談時に見積書を作ってもらうと、費用の概算が把握できます。

希望する葬式の形式があれば、ノートに書き、家族などに事前に伝えておくとよいでしょう。お別れに来てほしい人には、名簿に印をつけておけば準備万端です。遺影にする写真も用意しておきましょう。

また、互助会の掛け金は冠婚葬祭代金の前払いなので、互助会に加入している人は契約内容をノートに記入しておきましょう。

樹木葬や散骨など、自然葬を希望する場合は慎重に

自然葬には、樹木を墓標とする樹木葬、海や山などに粉末状にした遺骨をまく散骨などがあります。

近年、人気が高まっている樹木葬には、割り当てられた区画に個別に埋葬する、他の遺骨と一緒に埋葬する、1本～数本のシンボルツリーの元に埋葬する、里山のような墓地に埋葬するなど、さまざまな形態があります。樹木葬は、一旦埋葬すると原則として改葬（お墓の引っ越し）ができませんので、インターネットや本などで調べるだけでなく、霊園に行き、管理者と直接話をして慎重に選ぶことが大切です。

お墓を生前契約した場合は、場所や契約した内容をこのノートに記入して、埋葬してもらう人に伝えておきましょう。

また、お墓は亡くなった人だけのためではなく、のこされた人たちが故人をしのぶ大切な場所です。家族の意見も聞いておくとよいでしょう。

終活についてのQ&A
ファイナンシャルプランナーが教える

Q 相続で知っておきたいことは何？

法定相続割合はあくまでも目安
遺言書で自分の希望を伝えておこう

　誰が相続人になるのか、その相続割合については法律で定めがあります。法定相続人は、故人の配偶者及び一定の血族で、その順位も定められています（P.52～53参照）。

　遺言を残しておけば、この法定相続割合に優先して、故人の遺志を反映した相続割合とすることができ、また、法定相続人以外にも財産を遺贈することが可能です。しかし、配偶者、子ども、親などには、法定相続割合の一定部分が遺留分として保証されている点には注意が必要です。

　なお、相続では、内縁の配偶者は法定相続人になりません。

　相続の対象となる財産には、故人の借入や他人の借金の保証など「負の財産」も含まれます。負の財産が多い場合、相続発生を知ってから3ヵ月以内に家庭裁判所に申し出れば相続放棄もできます。

　最終的に、相続人全員が遺産分割協議※に合意すれば、遺言や遺留分より更に優先されますが、全員の合意が条件です。

相続税の概略について
不安なときは専門家に相談を

　相続税を計算するには、まず財産をすべて書き出すことから始め、預貯金、不動産、株式ほか有価証券、その他に分けていきます。金額評価には一定のルールがあり、特に不動産や非上場株式等は、評価の仕方で金額が大きく変わるので、一度税理士などの専門家に相談するとよいでしょう。

　次に、財産の評価額等を合計し、基礎控除を差し引いて課税遺産総額を算出して、相続税の総額を計算する流れになります。

　相続税では、基礎控除は
〔3000万円＋600万円×法定相続人数〕です。

　財産の評価額が基礎控除額以内であれば相続税はゼロで、申告も不要となります。ただし、税制上の特例を利用する場合に、相続税はかからなくても申告が必要というケースがあるので注意が必要です。

　なお、税制や相続に関する法律は、時勢にあわせて改正されていきます。

※遺産分割協議……遺産を各相続人にどう分配するかを決める協議

Q 遺言書は残した方がいい？

子どもがいない高齢者は、遺言書を作成したほうがいい

Aさん（80歳）は、30年前に夫を亡くし、子どももいません。

Aさんには4人の兄弟姉妹がいますが、懇意にしているのは近くに住んでいる妹のBさん（75歳）だけです。Bさん一家は長年親身に世話をしてくれているので、Aさんは財産をBさんに譲りたいと考えています。

この場合、Aさんは遺言を作成することですべての財産をBさんに相続させることができます。しかし、遺言がないと法定相続人である他の兄弟姉妹（亡くなっている場合はおい、めい）全員に分割されます。相続人が高齢のため、認知症を発症していたり、おいやめいが海外など遠方に在住していたりすると、遺産分割協議が簡単にはできないことがあります。

さらに、BさんはAさんと年齢差があまりないため、Bさんが先に亡くなることも考えられます。「遺言者より先に又は遺言者と同時にBさんが死亡した場合は、Bさんに相続させるとした一切の財産は、おい○○とめい○○に相続させる」という条文を加えておけば、Bさんの子どもたちが財産を相続することができます。

信託を活用した遺言書が注目されている

不動産経営をしているAさん（60歳）は、病弱な妻（55歳）と障がいをもつ子ども（30歳）の3人暮らしです。自分の死後、妻子が将来にわたって安心して生活できるために、遺言書で信託をお願いしました。

財産を預け、現在の事業を信頼できる人に任せることで妻子は毎月の生活費を受け取ることができます。財産を預かる人を受託者（じゅたくしゃ）と言い、遺言者が死亡後に受益者（じゅえきしゃ）（Aさんの場合、妻と子ども）の代わりに家賃を集金したり、財産を管理したり、活用したりします。受託者には、信託銀行など金融機関だけでなく個人や親族もなれます。信託は財産を有効に引き継ぐ方法として注目されています。

大切な人へのメッセージ

家族や友人など大切な人への感謝の気持ちを伝えましょう。メッセージを書くことは、これからの関係をより良くするきっかけになるかもしれません。

_____ さんへ

記入日　　　年　　月　　日

_____ さんへ

記入日　　　年　　月　　日

_____ さんへ

記入日　　　年　　月　　日

_____ さんへ

記入日　　　年　　月　　日

_____ さんへ

記入日　　　年　　月　　日

_____ さんへ

記入日　　　年　　月　　日

さんへ
記入日　　　年　　月　　日

さんへ
記入日　　　年　　月　　日

さんへ
記入日　　　年　　月　　日

さんへ
記入日　　　年　　月　　日

さんへ
記入日　　　年　　月　　日

さんへ
記入日　　　年　　月　　日

ending ni tuite

のこされた人たちへ、「ありがとう」のメッセージ

　家族や大切な人に感謝の気持ちがあっても、照れくさくてなかなか言葉にできません。病気になれば心配し、受験、就職、結婚と人生の節目にともに笑い、時に泣き、過ごしてきた大切な人たちに感謝の気持ちを込めたメッセージを残しましょう。のこされた家族はあなたのメッセージを心に深く刻み、悲しみを乗り越えて生きていく支えとするでしょう。

Part 1　私について

Part 2　お金について

Part 3　家族・親族・友人について

Part 4　エンディングについて

Memo

Memo